D1311708

SOPA DE LIBROS

© Del texto: Antonia Rodenas, 2006
© De las ilustraciones: Carme Solé Vendrell, 2006
© De esta edición: Grupo Anaya, S.A., 2006
Juan Ignacio Luca de Tena, 15. 28027 Madrid
www.anayainfantilyjuvenil.com
e-mail: anayainfantilyjuvenil@anaya.es

1.ª edición, octubre 2006
7.ª impr., febrero 2009

Diseño: Manuel Estrada

ISBN: 978-84-667-5375-3
Depósito legal: Bi. 460/2009

Impreso en GRAFO, S.A.
Avda. Cervantes, 51
48970 Basauri (Vizcaya)
Impreso en España - Printed in Spain

Las normas ortográficas seguidas en este libro son las establecidas por la
Real Academia Española en su última edición de la *Ortografía*, del año 1999.

Rodenas, Antonia
Cartas a Ratón Pérez / Antonia Rodenas ; ilustraciones de
Carme Solé Vendrell . — Madrid : Anaya, 2006
72 p. : il. col. ; 20 cm. — (Sopa de Libros ; 114)
ISBN : 978-84-667-5375-3
1. Animales 2. Solidaridad 3. Ratón Pérez 4. Personajes
literarios I. Solé Vendrell, Carme, il.
087.5 : 82-3

# Cartas a Ratón Pérez

SOPA DE LIBROS

Antonia Rodenas

# Cartas a
# Ratón Pérez

Ilustraciones de
Carme Solé Vendrell

ANAYA

*A MAX,*
*mi querido mancha negra.*
Carme SOLÉ

*Y a todos los que son capaces*
*de sonreír cuando escuchan*
*el nombre de Ratón Pérez.*
Antonia RODENAS

La primera vez
que Manchas Negras
le escribió una carta,
Ratón Pérez se extrañó.


Todos le pedían
un pequeño regalo a
cambio de su diente blanco.
Pero Manchas Negras, no.
Lo suyo era muy raro.

Manchas Negras le pedía dientes.

Además...

¡ERA UN GATO!

¡UN GATO SIN DIENTES!

«¡Pues mejor para los ratones!», pensó Ratón Pérez.

Y decidió no contestar.

Se sentó junto al fuego con uno de sus libros preferidos.

La segunda vez que
Manchas Negras escribió
una carta, le contó que
su MIAUUU era desafinado,
porque sin dientes el aire

se le escapaba por todas
partes.

Por eso no podía participar
en el coro de los gatos cantores.
Y era lo que más ilusión
le hacía.

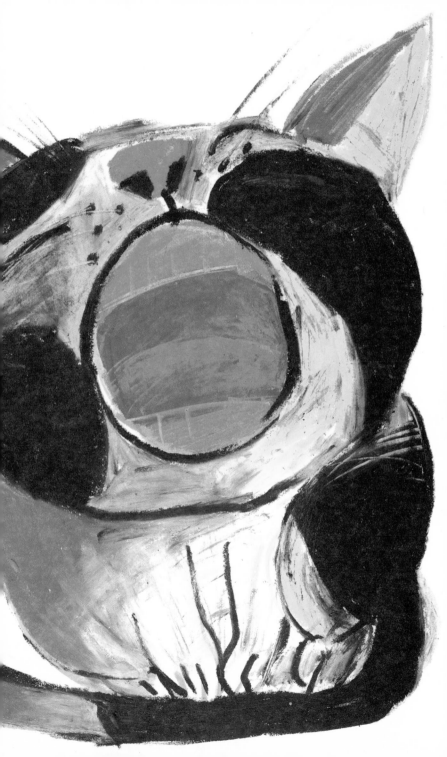

Manchas Negras le aseguró
que ningún gato amigo suyo
se lo comería, porque todos
estaban preocupados por él
y deseaban que se solucionara
su problema.

A Ratón Pérez le produjo
un poco de tristeza, pero
también sintió miedo.

«¡Siempre podría salir un gato
mentecato!», pensó.

Y no contestó.

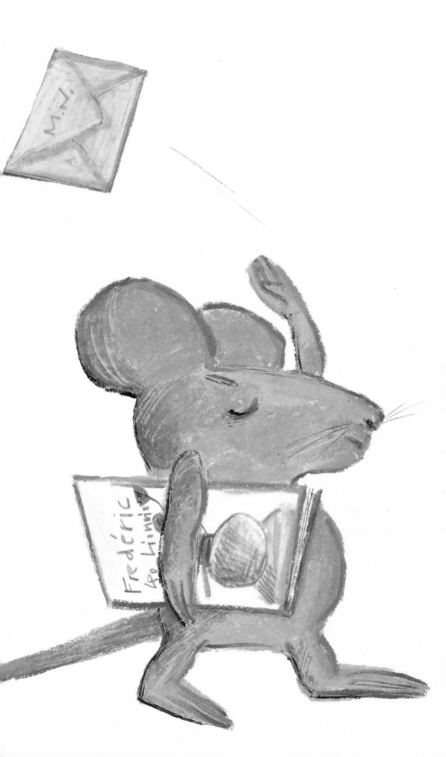

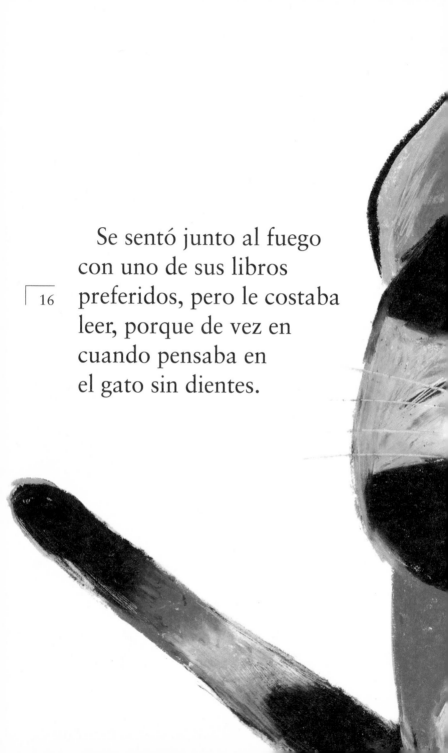

Se sentó junto al fuego
con uno de sus libros
preferidos, pero le costaba
leer, porque de vez en
cuando pensaba en
el gato sin dientes.

La tercera vez que
Manchas Negras escribió
a Ratón Pérez lloró y lloró,
emborronando algunas de
las hermosas letras de la carta.

Manchas Negras insistía para

que Ratón Pérez lo ayudara.
Estaba convencido de que si
quería, podía hacerlo.

Manchas Negras le explicaba
que, además de desafinar,
comía papillas, y eso no
le gustaba nada.

Manchas Negras
estaba muy triste.

Sin ganas de correr.

Sin ganas de saltar
por los tejados.

Sin ganas de estar
con sus amigos.

Sin ganas de...
nada.

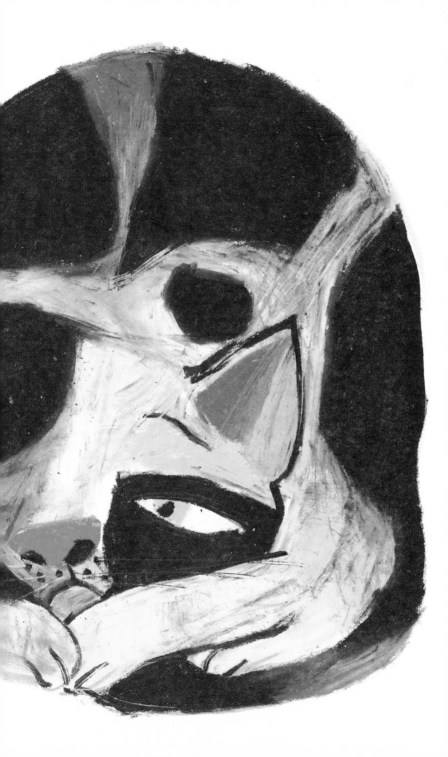

Ratón Pérez sintió tanta pena que se le hizo un nudo en la garganta.

Pero también le entró miedo. Si no tenía cuidado, podría acabar en la barriga de algún gato hambriento. Sin embargo, se fio de Manchas Negras.

Y decidió ir.

Eso sí, tendría que prepararlo
todo muy bien.

Nunca se había enfrentado
a una aventura como esa, y era
arriesgado.

Primero, se fabricó
una careta de gato con la piel
de una mandarina.

Sabía que con su perfume

despistaría a cualquier gato, y,
si fuera necesario, se la pondría.

Después, buscó entre su
colección de dientes los más
blancos, los metió en un saquito
y lo cerró.

Y, por último, esperó hasta
que la Luna brillara en lo alto.

Ese sería el momento.

Y cuando la Luna brilló...
Ratón Pérez salió de su casa.

Y empezó a caminar.

Y a caminar...

Y a caminar...

La noche era silenciosa.
Ratón Pérez oía sus pisadas
y su propia respiración.

Las piedras del camino
brillaban bajo la luz de la Luna,
y se acordó de aquel niño que,
para no perderse en el bosque,
llenaba sus bolsillos con
pequeñas piedras que

dejaba caer poco a
poco.

Iba ensimismado
recordando aquella
historia cuando
de pronto le salió
al paso una sigilosa
serpiente, dispuesta
a tragárselo.

La serpiente avanzó hacia él,
y lo rozó con su piel fría.

Ratón Pérez sintió un escalofrío
y su pequeño cuerpo se estremeció.
Estaba tan nervioso que
la bolsa de los dientes se movió,
y de ella salió un sonido suave
como de campanillas.

La serpiente se quedó quieta,
hipnotizada por aquel sonido;
y Ratón Pérez aprovechó ese
instante para marcharse.

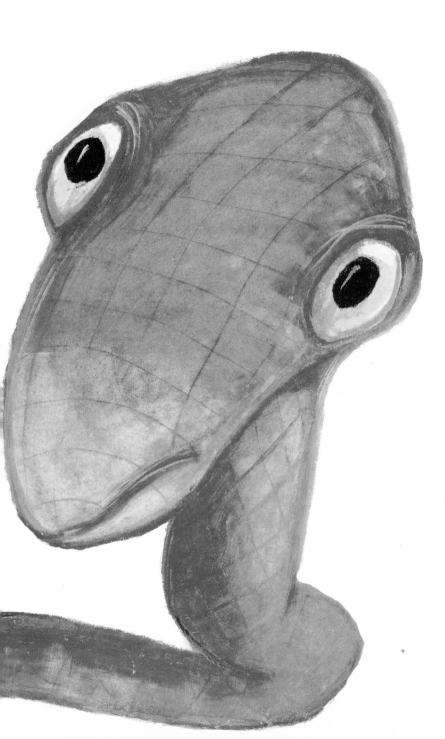

Caminaba deprisa, deprisa
muy deprisa. Quería llegar
cuanto antes.

Pero desapareció la Luna.

Todo estaba tan oscuro que
Ratón Pérez se preguntaba cómo
podría llegar al tejado donde
vivían los gatos si no veía nada.

Necesitaba que apareciera de
nuevo la Luna para continuar.

¡¡¡Necesitaba la Luna!!!

Ratón Pérez permaneció
inmóvil durante un rato:
se oía un murmullo de agua
y se asustó.

Con aquella oscuridad no debía continuar. Se podía caer al agua; y mucho, mucho no sabía nadar.

Además, empezaba a estar cansado. El camino era más largo de lo que él había imaginado.

De repente, oyó a una rana que, más que croar, parecía llorar. Se acercó a ella y, efectivamente, lloraba.

De sus grandes ojos, salían
chorros de lágrimas.

Ratón Pérez las sentía caer
en su cabeza como lluvia salada.

La rana le contó que era
una princesa, pero nadie la creía;
y estaba esperando a que un día
apareciera su príncipe.

Ratón Pérez levantó la cabeza
para mirar sus grandes ojos,
la rana dio un respingo
y empezó a reír.

Y la rana lloraba.
Y la rana reía.
Lloraba y reía.
Lloraba y reía.

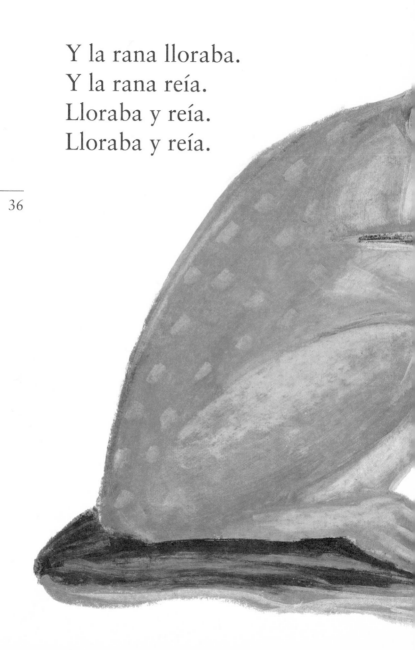

Eran los bigotes de Ratón
Pérez, que le rozaban la piel
y le hacían cosquillas.

A pesar del llanto, la risa
le sentó bien.

En agradecimiento, la rana
decidió acompañar a Ratón Pérez
mientras hubiera oscuridad.
Ella conocía bien ese camino.
Y fueron charlando.
Contándose historias de ranas
intrépidas y ratones valientes.

La Luna volvió a brillar,
la rana se despidió
y se marchó saltando.

A Ratón Pérez se le quedó
un beso en la punta del hocico.
Un beso que pensaba darle
a la rana, para ver si se convertía
en princesa.
¿Sería posible?...

Era ya muy tarde cuando
descubrió muy cerca de él
a un animal peligroso.
Sabía que se trataba
de un lince, pues Ratón Pérez
se había fijado en sus orejas,
terminadas en pinceles.

También sabía que el lince tiene mucha vista, y eso le asustó.

«¿Me habrá visto?», pensó.

Rápidamente, se puso la careta de gato que olía a mandarina y sacudió la bolsita de los dientes que sonaba como campanillas.

El lince giraba la cabeza
de un lado a otro; olía a ratón,
pero veía a un animal muy
extraño.

Como no sabía a quién
se enfrentaba, decidió marcharse.

A Ratón Pérez le latía
el corazón muy rápido,
pero cuando vio que el lince
se alejaba, se sintió fuerte.

Como un súper ratón.

Ahora estaba convencido
de que llegaría a su meta.

Y, finalmente, llegó.

Manchas Negras dormía
profundamente junto a otros
gatos.

Ratón Pérez miró a su
alrededor.

Todo estaba en silencio.

Necesitaba descansar un poco,
y entornó los ojos.

Se acordó de Frederick,
el ratón de uno de sus libros
favoritos, que dejaba caer
un poco los párpados para
recoger los rayos del sol,
los colores y las palabras.

Y se acercó la Luna
redonda, redonda, redonda.

Ratón Pérez se iluminó.

Sus ojos brillaban como luceros.
Era el gran momento.

Con mucho cuidado, Ratón
Pérez abrió su saquito.

Y aprovechando un sonoro
bostezo fue colocando, uno
a uno, todos los dientes en
la boca de Manchas Negras.

Parecían pequeñas estrellas
que brillaban a la luz de la Luna.

Cuando acabó, Ratón Pérez
miró hacia la Luna.

Y la Luna suavemente sopló.

A la mañana siguiente,
cuando Manchas Negras
se despertó, estiró las patas
delanteras; luego, las traseras.
Se lavó la cara y, por último,
lanzó un hermoso maullido.

Los demás gatos lo felicitaron.

Manchas Negras se miró
sorprendido en un charco y allí,
en el espejo de agua, vio que
su boca estaba llena de dientes
y que formaban una gran
sonrisa.

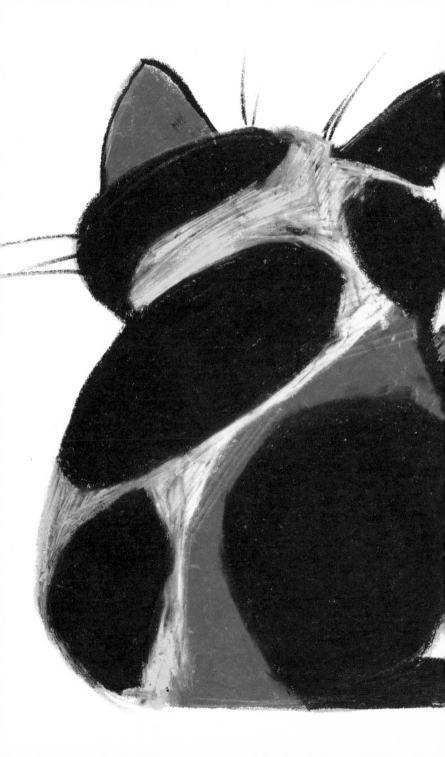

Manchas Negras había pasado
toda la mañana saltando por
los tejados y maullando sin
parar.

Estaba tan contento que
se había olvidado de comer.

Por la tarde, decidió escribir
una carta de agradecimiento
a Ratón Pérez, una carta muy
especial.

Y escribió:

Querido Ratón Pérez:

Hoy es un día grande para mí.
Cuando me he despertado
esta mañana, he notado una
sensación extraña en mi boca.

Tenía dientes y podía maullar.
Estaba tan contento que no
he dejado de correr ni de saltar
durante mucho tiempo.
Más tarde, vi a un ratón.
Eché a correr detrás de él.
Creo que lo asusté. No tenía
intención de comérmelo.
Te lo aseguro, solo quería ver
si movía los bigotes o el rabo.
Quería saber si me conocía.
Quería saber si eras tú, pero
sentí su corazón a cien por hora,
y temblaba.

Lo dejé marchar y desapareció
al momento. Yo me quedé
pensando un rato.

Ahora no podría comer
ratones, ¿te imaginas que
alguno de ellos fueras tú?

Aunque me gusta jugar a
«Ratón que te pilla el gato»,
pues me parece una maravillosa
forma de correr.

Esta noche iré con los gatos
cantores. Los que me oyeron
esta mañana, me felicitaron.

Me siento feliz y todo gracias
a ti.

Te mando una foto.
Y también un beso.

MANCHAS NEGRAS

Cuando Ratón Pérez leyó
la carta, se sintió más contento
que nunca y decidió celebrarlo:
se comió un trozo de queso
manchego y se tomó un zumo
de zarzamora.

Y, por último, abrió uno
de sus libros favoritos, justo
en la página que decía:

«Hay un gato enorme
en el cielo».

Ratón Pérez sonrió.
Le encantaba leer aquel
libro que estaba lleno
de *Historias de ratones*.

Y la Luna brillaba.

Escribieron y dibujaron…

# Antonia Rodenas

*Nació en Villena (Alican-* *te). Trabaja en la Escuela Infantil «Els Xiquets» y también participa asiduamente en encuentros con niños y en actividades de literatura infantil. Su obra destaca por la ingenuidad y ternura con que trata ciertos temas, pequeños conflictos a los ojos de los adultos, pero de importancia crucial en edades tempranas. ¿Cómo comenzó a escribir para niños?*

—Seguramente, influenciada por mi trabajo, por el contacto diario con los niños y niñas que año tras año van pasando por la escuela, y porque tengo la suerte de no haber perdido la capacidad de asombro y la emoción que me provocan sus descubrimientos.

*—¿Por qué la mayoría de los libros que usted ha publicado en esta colección los ha ilustrado Carme Solé? ¿Se lo propone la editorial o es una elección personal?*

—Porque admiro su trabajo, su sensibilidad y capacidad de investigación. Carme entra en el texto, pasea y se asoma por sus recovecos, decide cómo ilustrarlo… y siempre me sorprende. Es una elección personal. Me gusta trabajar con alguien que me conoce; hay complicidad, y es un proyecto más compartido.

—*¿Cómo nació* Cartas a Ratón Pérez?

—Hace algún tiempo conocí a un bebé al que no le salían los dientes. El bebé crecía, pero sus dientes no; ese fue el disparador, y mi cabeza hizo el resto cuando después pensé… ¿Qué le ocurriría a un gato que no tuviera dientes? Creo que ha quedado una historia bonita que espero guste a los lectores.

Bueno, que nadie se preocupe porque finalmente al niño le salieron los dientes.

# Carme Solé Vendrell

*Ilustra su primer libro en 1968 y desde entonces no ha parado, publicando en las más importantes editoriales nacionales e internacionales, y ha recibido numerosos premios, entre ellos: Nacional de Ilustración en 1979, Lazarillo en 1981, Apel.les Mestres en 1983. Ha sido candidata al Premio Andersen en 1986 y 1994. El ratoncito Pérez, y sus variantes, es un personaje famoso entre los niños, ¿recuerda cómo se imaginaba usted a este animalillo en su infancia?*

—Curiosamente en mi casa no era un ratón sino los angelitos que venían por la noche y cambiaban nuestro diente por alguna moneda. Recuerdo que una vez presté mi duro de plata a mi madre, y no lo recuperé. Ocurre a veces ¿verdad?

*—Cuando recibió el cuento de Antonia Rodenas ¿influyó su niñez en la caracterización del personaje?*

—Cuando leí el texto de Antonia, pensé en mi niñez, en lo que uno siente al perder su primer diente y en ese espacio vacío que hace que al hablar salga un silbido parecido al viento. Sin darme cuenta, en la caracterización de Manchas Negras, recuperé algo de mis primeros libros, de mi niñez como ilustradora, algo que había dejado atrás y que este personaje me permitió recuperar. Estoy encantada.

—*Si un niño le preguntara por su función en un libro, ¿qué destacaría?*

—Le diría que la función principal de la ilustración es la de iluminar, poner imágenes a las palabras, interpretar de modo personal la realidad descrita, contar la historia pensando que pueda ser también leída sin palabras, crear un mundo nuevo. Los textos de Antonia son abiertos y te dan la posibilidad de volar.

SOPA DE LIBROS

## A PARTIR DE 6 AÑOS

**LA BRUJA DE LAS ESTACIONES**
(n.º 3)
*Hanna Johansen*

**LISA Y EL GATO SIN NOMBRE**
(n.º 5)
*Käthe Recheis*

**ÓSCAR Y EL LEÓN DE CORREOS**
(n.º 21)
*Vicente Muñoz Puelles*

**CAPERUCITA ROJA, VERDE, AMARILLA,
AZUL Y BLANCA (n.º 27)**
*Bruno Munari y Enrica Agostinelli*

**LAURA Y EL RATÓN**
(n.º 46)
*Vicente Muñoz Puelles*

SOPA DE LIBROS

**HERMANO DE LOS OSOS**
(n.º 47)
*Käthe Recheis*


**MAGALI POR FIN LO SABE**
(n.º 50)
*Patxi Zubizarreta*


**AUNQUE PAREZCA MENTIRA**
(n.º 51)
*Ana María Machado*


**LA GALLINA QUE PUSO UN HUEVO**
(n.º 57)
*Hanna Johansen*


**LA BRUJA Y EL MAESTRO**
(n.º 59)
*Mariasun Landa*

SOPA DE LIBROS

SOPA DE LIBROS

**EL GRAN DOCTOR**
(n.º 85)
*José María Plaza*


**RICARDO Y EL DINOSAURIO ROJO**
(n.º 87)
*Vicente Muñoz Puelles*


**EL COCHE DE CARRERAS**
(n.º 88)
*Helme Heine*


**MARCELA**
(n.º 92)
*Ana García Castellano*


**UN TREN CARGADO DE MISTERIOS**
(n.º 97)
*Agustín Fernández Paz*

SOPA DE LIBROS

**ALGUNOS MIEDOS**
(n.º 102)
*Ana María Machado*

**MARCIAL MILPIÉS**
(n.º 105)
*Mick Fitzmaurice*

**LA HISTORIA DE TAPANI**
(n.º 106)
*Marjaleena Lembcke*

**GATO NEGRO GATO BLANCO**
(n.º 108)
*Andrés Guerrero*

**TRES CUENTOS DE URRACA**
(n.º 110)
*Antonio Rubio*